W9-DIJ-347

Crocodiles

PHOTOS AND FACTS FOR EVERYONE

BY ISIS GAILLARD

Learn With Facts Series

Book 12

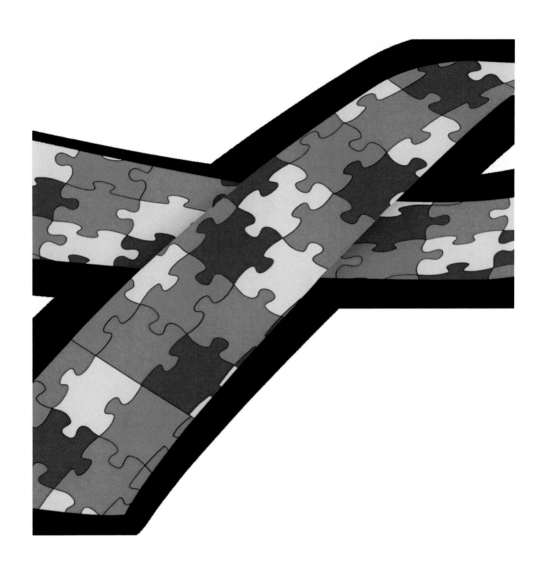

Dedicated to my boys
Jaxon and Jalen

CONTENTS

Image Credits: Royalty-free images reproduced under license from various stock image repositories.

Isis Gaillard. Crocodiles: Photos and Facts for Everyone (Learn With Facts Series Book 12). Ebook Edition.
Learn With Facts an imprint of TLM Media LLC

eISBN: 978-1-63497-139-3
ISBN-13: 978-1-63497-261-1
Hardback: 979-8-88700-461-7

Introduction

All crocodiles belong to the vertebrates class, which look like reptiles. They can breathe in the air, having the temperature of their surroundings that varies with the body temperature. Crocodiles consider lying down under the sun in the daytime because these animals are nocturnal. They will go near or into the water or too shaded areas to remove extensive body heat.

When the sun sets and darkness arises, they become more active and spend nearly everything in the water. The eyes, the nostrils, and the ear of the crocodiles look on the highest parts of the higher side of the head, and they will stay above the water surface even when the rest of the crocodiles are underwater. They have been in the world for 150 million years.

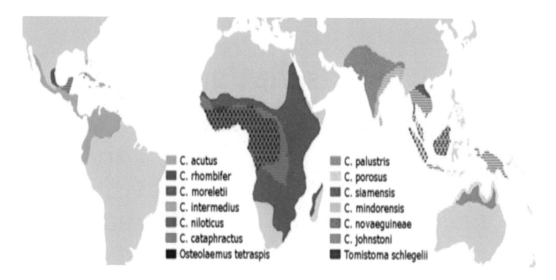

The saltwater/estuarine crocodile (Crocodylus porosus), mugger or marsh crocodile (Crocodylus palustris), and gharial (Gavialis gangeticus) are the three of the crocodile species located in India. Crocodiles have been in danger as their skin is used for making rawhide articles. This led to the near-destruction of crocodiles in India's wild in the 1960s. An Estuarine crocodile is a major of accessible crocodiles and is a greedy killer species. The Estuarine crocodiles are found in Australia, whereas they can live in saltwater, and they are also capable of going rather far upriver into freshwater. It is one of the crocodile family's main precarious, mortal, the largest, and heaviest. It grows between 4 and 7 meters long. The Johnsons crocodile lives regularly in freshwater but can also live in saltwater. It grows up to 3 meters long. It is considered hazardous, yet it is not known to be aggressive to humans.

Description

The color of a crocodile is pale yellow creamy white with dark spots and stripes. Sometimes they are visible to become darker on the light areas, while on the other side, they look the same as the land's color. They defend a region by using postures and low rates of recurrence vocalizations. They have four chambers in their hearts. Crocodiles also swallow their food in small chunks due to their prey's body and not chewing.

Size

Their features are distinctive, like large heads, big and strong jaws, smooth and sleek bodies, and long tails. The length of the crocodile is 7 meters long. We call them a good survivor reptile of the world. Generally, the length of the female crocodile is up to 3 meters long, which is smaller than the male crocodile.

Breeding

At the time of reproduction, all crocodiles reproduce in the way of white, hard-shelled eggs. According to their species, the female builds a nest in the sand or prepares a mounded nest of undergrowth and deposits a grasp of 20 to 70 eggs at a time in a year after the mating period. A mother crocodile takes care of her nest faithfully against predators, but she does not keep warm in the sense of giving that extra warmth. After a look after 60 to 90 days, the baby crocodiles are ready to hatch or come out from the eggs.

After hatching the young crocodiles, the mother of crocodiles will take them quickly into the water and start to feed them with the frog, insects, and shrimps; they provide all year and effect by cold weather so they can stop to intake their food. Young ones like to eat the young animal under the water. They absorb a lot of fat to live without feeding in a month.

Eating Habit

The vision of crocodiles is very powerful and easily hunts their prey. If they see some prey, they jump over them quickly by moving vertically to catch their prey; they stand vertically as their tails' position is in the water, front and rear legs act as spiral when they catch their prey. Crocodiles do not leap like the dolphins' speed. According to their size, they take their food buffalo, young crocodiles, crabs, fish, birds, turtles, insects, and humans as their food.

Crocodiles are carnivorous. They can use different techniques for hunting, like lying close to the coast with only their eyes over the water for animals to come and drink. They attack their prey seizing it between its jaws or falling with rage from its tail. They will also flash animals or flock schools of fish into a woof with its tail.

Interesting Facts

- If we are talking about the bites, the crocodile is the only animal with the strongest bite.
- Crocodile skin is well-thought-out, one of the supreme and best, soft and hard-wearing.
- Crocodiles show increased assertiveness during the mating season.
- Each crocodile's jaw haves 24 sharp teeth meant to clutch and crush, not to chew. Crocodiles can bear huge force when closing their jaws, but the force for opening them is so weak that a gum band is enough to keep large crocodiles.
- With the help of their powerful tail, crocodiles swim just 40 km per hour and can stand underwater for 2-3 hours.
- The first crocodiles came into this world about 240 million years ago, at the same time when the dinosaurs appeared in this world.

THE END

Thanks for reading facts about Crocodiles. I am a parent of two boys on the autism spectrum. I am always advocating for Autism Spectrum Disorders which part of the proceeds of this book goes to many Non-Profit Autism Organizations. I would love if you would leave a review.

Author Note from Isis Gaillard:

Thanks For Reading! I hope you enjoyed the fact book about **Crocodiles**.
Please check out all the Learn With Facts and the Kids Learn With Pictures series available.

Visit www.IsisGaillard.com and
www.LearnWithFacts.com to find more books in the Learn With Facts Series

More Books In The Series

Over 75 books in the Learn With Facts Series.

Word Search 1

T	Z	V	A	P	O	F	R	V	I
S	U	L	A	S	M	V	L	Q	E
E	B	K	D	Z	E	C	O	B	N
L	C	R	B	I	G	R	E	S	T
B	I	O	V	F	T	A	X	V	Z
B	E	J	Y	L	V	Q	F	P	O
U	J	A	I	E	L	V	R	I	T
Z	K	U	R	M	H	Q	E	Z	J
S	M	S	I	S	N	F	K	W	L
V	P	Z	S	W	G	H	M	K	M

Word List

Bears   Birds

Beavers

Word Search 2

C	R	T	Q	I	K	B	J	S	G
H	E	Z	A	U	W	G	N	R	A
A	X	L	G	M	X	I	Z	J	J
M	U	N	E	P	H	P	B	G	P
E	I	J	L	P	K	T	F	B	M
L	Z	Z	L	E	H	E	O	E	Q
E	J	O	X	U	U	A	I	F	L
O	D	X	G	N	B	Y	N	J	Z
N	P	Q	D	S	I	P	C	T	P
S	O	C	B	C	S	M	W	E	S

Word List

Elephants   Chameleons
Dolphins

Word Search 3

W	C	F	F	A	F	H	O	R	C
L	R	D	C	D	X	U	P	S	H
S	O	I	F	Z	H	M	H	S	E
M	C	X	J	D	T	F	R	C	E
S	O	U	M	U	O	A	F	C	T
K	D	B	F	O	G	L	Z	H	A
Y	I	R	S	U	U	V	Y	M	H
J	L	H	O	A	V	D	J	D	S
R	E	C	D	K	T	K	Q	R	K
F	S	L	J	M	C	O	J	K	O

Word List

Cheetahs   Crocodiles
Cougars

Word Search 4

Y	J	C	Q	Q	C	I	X	Y	Z
N	V	A	K	S	F	Y	K	O	S
O	G	D	L	G	O	Z	P	R	R
O	W	T	Z	G	X	C	U	S	X
Y	K	W	D	N	E	A	Z	E	N
C	K	W	Z	U	S	M	H	L	U
D	N	C	V	O	J	K	L	G	P
P	P	R	N	X	W	Y	G	A	G
D	K	I	J	L	O	H	H	E	P
Q	D	F	L	M	K	T	B	B	Z

Word List

Dinosaurs   Foxes
Eagles

Word Search 5

P	S	F	F	R	N	C	Q	R	H
Z	D	N	T	B	W	J	E	Z	E
G	U	Z	E	T	Q	S	B	G	D
A	B	J	F	G	K	G	M	I	G
A	V	M	L	S	G	O	W	R	E
Q	C	G	M	M	C	R	C	A	H
C	I	D	S	S	Z	F	P	F	O
A	I	K	L	L	J	L	W	F	G
M	C	S	B	H	M	A	B	E	S
U	P	F	T	W	T	D	I	S	G

Word List

Frogs   Hedgehogs
Giraffes

Word Search 6

K	F	K	S	K	F	W	Z	R	S
Z	A	V	K	P	S	O	O	E	A
J	K	N	Y	Q	M	L	S	H	Z
U	O	U	G	W	P	R	O	V	X
U	A	N	R	A	O	J	S	W	I
I	L	C	S	H	R	I	D	Y	B
T	A	Q	L	N	F	O	N	W	K
L	S	N	R	D	O	H	O	T	W
S	D	Y	Z	W	L	I	G	S	D
D	D	R	P	T	A	Z	L	O	C

Word List

Horses

Koalas

Kangaroos

Lions

Word Search 7

S	H	P	L	U	S	D	L	S	A
L	Q	N	N	S	P	P	P	K	U
W	P	J	X	N	L	K	J	C	S
O	A	H	X	I	L	V	X	O	L
W	N	E	Y	U	W	R	Y	C	D
U	D	G	G	G	C	N	N	A	G
J	A	L	S	N	L	D	T	E	E
P	S	O	E	E	S	W	H	P	Z
U	Z	U	X	P	V	C	L	L	Q
E	L	F	Z	L	Q	F	P	K	P

Word List

Owls   Peacocks
Pandas   Penguins

Word Search 8

R	H	I	N	O	C	E	R	O	S
Y	T	I	A	W	W	Z	U	Z	E
W	Y	S	S	E	V	S	V	D	A
F	M	S	R	S	Q	C	Q	N	T
W	B	N	R	E	G	L	D	Z	U
R	W	A	Y	K	D	H	V	S	R
S	O	K	B	J	Q	I	G	U	T
L	E	E	C	C	B	H	P	P	L
V	Y	S	B	R	E	F	V	S	E
X	A	G	C	A	H	M	N	J	S

Word List

Rhinoceros

Snakes

SeaTurtles

Spiders

Word Search 9

```
B  Y  A  V  N  A  D  N  Z  M
U  F  L  T  K  W  Z  Y  F  S
F  X  P  W  I  A  T  M  D  A
T  K  A  J  S  G  Y  Z  F  R
J  J  C  K  G  Z  E  V  R  B
U  I  A  Q  X  C  Y  R  K  E
O  J  S  A  N  T  K  G  S  Z
I  S  S  J  R  T  N  P  M  A
D  Z  E  R  J  S  B  X  H  P
A  L  L  I  G  A  T  O  R  S
```

Word List

Tigers   Alpacas
Zebras   Alligators

Word Search 10

U	L	H	H	A	X	E	V	T	L
P	A	P	B	S	Z	P	H	B	S
G	S	Y	V	Y	G	Q	W	U	E
T	C	O	D	Q	D	O	E	I	P
Q	B	T	V	S	E	E	Y	S	W
M	C	F	H	P	M	A	V	L	E
E	W	M	M	A	A	S	U	E	H
F	D	O	O	Z	B	Z	O	M	Z
O	T	W	H	S	N	U	B	A	D
L	A	E	A	H	Y	K	A	C	A

Word List

Camels

Word Search 11

E	Q	I	Z	M	V	O	D	Q	C
K	O	Y	Q	G	U	H	Z	H	R
E	I	G	S	D	S	A	K	U	F
U	G	E	N	I	N	I	Z	B	I
Z	E	K	F	I	L	J	V	A	U
B	Q	F	P	H	M	T	G	T	E
L	W	J	F	I	G	A	A	S	V
L	Z	O	R	F	S	Z	L	F	A
M	K	P	P	F	B	O	M	F	Y
Z	F	K	X	A	S	O	J	O	Q

Word List

Bees   Fish

Bats   Flamingo

Word Search 12

A	D	G	A	Z	E	L	L	E	I
T	S	T	W	Q	P	E	H	Q	G
C	T	T	E	W	Q	C	T	P	U
O	R	Y	C	U	N	T	I	X	A
U	A	T	Z	E	U	L	L	X	N
H	N	Q	Z	E	S	M	U	C	A
P	U	M	P	R	P	N	B	F	S
P	K	H	Y	E	N	A	I	G	B
B	Y	Y	T	Q	D	M	Q	G	F
M	X	U	B	Q	W	P	Y	U	C

Word List

Gazelle

Hyena

Iguanas

Insects

Word Search 13

H	S	I	F	Y	L	L	E	J	A
M	S	F	M	T	R	I	H	I	L
P	S	D	S	W	Z	B	E	J	N
Z	R	Z	R	W	U	B	G	Y	F
R	A	Q	V	A	X	G	D	D	M
O	U	Z	C	K	P	A	Y	D	Q
M	G	W	M	A	A	O	A	L	U
P	A	Y	J	P	W	G	E	S	Y
U	J	H	I	S	I	J	Z	L	B
O	Q	H	A	I	H	L	R	Z	C

Word List

Jaguars   Leopards
Jellyfish

Word Search 14

R	F	Y	Q	F	Z	K	G	Z	M
K	A	Z	O	M	Y	J	M	P	O
R	N	Z	F	I	S	E	P	E	O
D	V	R	K	P	E	J	K	S	S
D	P	D	Y	R	J	T	D	C	E
E	J	W	K	G	X	R	B	L	L
V	I	A	T	Q	A	A	Y	J	P
D	T	N	Z	Z	W	N	D	K	F
S	J	A	I	F	X	H	D	K	Y
P	F	L	G	R	O	I	A	G	J

Word List

Lizards   Meerkat
Lynx   Moose

Word Search 15

Y	F	O	L	K	X	O	K	O	S
H	M	Z	G	G	X	S	C	F	T
Q	S	A	V	T	M	T	Z	C	V
X	V	S	N	O	O	R	P	Y	Q
F	X	X	M	P	S	I	A	L	I
E	K	M	U	H	K	C	R	V	J
Z	M	S	F	E	B	H	R	X	D
O	E	Z	V	C	J	E	O	V	K
S	R	Y	I	F	X	S	T	Z	S
O	F	A	K	H	R	V	S	C	L

Word List

Octopuses   Parrots
Ostriches

Word Search 16

O	M	N	G	J	F	W	S	D	K
G	Y	I	V	U	T	S	R	F	R
P	C	H	J	T	G	M	A	P	J
P	O	Z	M	E	U	R	E	J	V
Z	O	N	X	O	K	L	B	F	V
X	V	N	I	B	I	T	R	Q	G
H	X	P	I	C	F	R	A	E	I
R	L	S	A	E	T	Q	L	S	S
J	Y	N	N	S	S	E	O	E	W
L	S	K	D	X	B	V	P	L	P

Word List

Pelicans   Ponies

Polar Bears

Word Search 17

S	C	O	R	P	I	O	N	S	T
I	J	S	Q	X	V	P	E	T	L
X	X	L	R	W	K	S	K	R	K
L	H	O	V	E	R	Z	B	O	L
Y	O	Q	X	O	T	S	Y	Q	V
E	M	H	H	J	U	S	Z	M	T
J	Q	A	T	U	B	C	O	I	C
G	E	A	H	Q	D	N	J	O	E
S	O	C	A	Y	H	V	S	T	R
K	Y	G	O	I	D	X	Z	L	P

Word List

Roosters   Seahorses
Scorpions

Word Search 18

J	J	S	G	U	T	T	H	F	W
S	P	E	O	N	R	D	T	S	H
S	M	L	Z	Q	P	I	P	A	S
D	Z	T	U	Y	P	I	D	X	I
W	D	R	A	R	X	W	T	A	F
Z	V	U	I	N	D	Z	N	P	R
M	X	T	C	A	V	Y	U	R	A
X	W	Q	S	W	A	N	S	I	T
V	Z	B	H	P	S	G	X	L	S
X	X	X	C	W	U	K	G	C	K

Word List

Starfish

Turtles

Swans

Word Search 19

P	Z	Y	X	A	X	D	H	X	V
F	H	A	N	T	E	A	T	E	R
M	D	Z	T	L	U	C	B	C	S
A	R	M	A	D	I	L	L	O	E
A	D	D	E	H	D	D	Y	S	L
B	V	K	E	T	U	Q	D	E	A
U	Y	U	Q	X	H	R	D	V	H
N	G	Q	X	H	I	H	G	L	W
Q	G	W	V	I	Q	M	T	O	K
Q	D	Z	C	I	G	Z	D	W	M

Word List

Whales

Wolves

Anteater

Armadillo

Word Search 20

P	V	I	C	C	W	E	R	T	S
J	C	H	I	P	M	U	N	K	S
S	J	O	L	A	F	F	U	B	Z
S	N	B	E	H	A	O	J	S	N
U	E	E	P	H	J	H	V	A	R
W	E	F	K	A	S	E	B	E	B
K	N	Y	J	C	C	O	W	S	G
P	P	D	O	C	I	S	E	O	A
E	X	H	A	Y	W	H	L	S	G
N	W	J	R	P	H	P	C	Q	V

Word List

Buffalo

Chipmunks

Chickens

Cows

Word Search 21

O	U	I	A	U	Y	D	R	V	A
B	Q	P	M	C	B	V	I	V	A
X	L	E	A	N	D	I	H	C	E
O	I	K	D	V	K	K	P	Z	D
V	S	R	T	V	X	V	N	R	S
D	O	N	K	E	Y	S	K	F	J
T	D	M	E	U	G	F	J	V	Q
L	C	E	A	K	J	W	S	A	F
Z	M	H	E	J	M	Q	W	M	F
G	I	P	J	R	M	K	I	Q	M

Word List

Deer

Donkeys

Echidna

Emu

Word Search 22

X	E	B	Q	S	X	O	D	P	S
H	G	O	A	T	S	U	R	G	X
S	B	L	N	A	W	X	I	S	U
R	F	M	V	I	T	P	G	D	O
L	H	J	C	W	A	Q	C	I	I
L	O	S	T	E	R	R	E	F	C
A	D	A	N	S	Y	V	H	C	J
M	B	I	K	P	C	V	Q	K	H
A	U	K	Z	N	X	S	H	E	W
G	S	F	B	L	Q	J	C	E	Y

Word List

Ferrets

Guinea Pigs

Goats

Llama

Word Search 23

I	P	L	A	T	Y	P	U	S	P
S	Q	F	H	S	K	Z	A	S	T
H	M	R	Y	A	L	H	V	N	V
S	J	U	A	C	V	D	W	O	W
S	E	N	I	P	U	C	R	O	P
S	V	N	B	S	K	G	Y	C	D
U	M	N	P	L	H	L	I	C	G
W	D	L	C	Q	X	J	R	A	N
C	G	N	M	N	D	W	N	R	I
E	N	U	P	H	Q	R	Y	I	S

Word List

Platypus   Raccoons
Porcupines

Word Search 24

Y	W	A	X	M	L	T	Z	I	R
E	N	R	L	T	T	Z	T	N	X
X	D	B	E	E	P	T	D	H	O
Y	S	R	S	E	U	N	P	P	D
D	L	K	E	H	D	A	K	G	V
N	H	H	U	H	A	N	F	D	C
M	S	I	D	N	K	R	I	C	V
X	L	Y	C	X	K	P	K	E	B
N	Q	U	W	N	D	S	Q	S	R
Y	M	C	T	G	M	G	D	E	R

Word List

Reindeer

Sharks

Sheep

Skunks

Word Search 25

C	L	V	M	B	B	O	I	P	F
K	V	M	C	N	A	L	O	P	S
M	S	S	L	V	V	F	U	Q	S
R	M	K	J	F	Y	B	U	H	T
Y	M	R	B	I	X	I	T	L	I
V	V	O	A	X	R	O	X	X	I
V	S	T	O	R	L	Z	L	W	N
M	N	S	E	S	K	W	V	Z	F
R	A	L	O	B	J	N	Q	K	E
M	S	K	K	N	J	H	R	E	G

Word List

Sloths   Storks

Squirrels

Word Search 26

U	W	I	K	C	O	S	E	S	J
I	V	W	J	Z	L	T	S	F	M
Z	M	N	A	A	G	U	O	P	M
T	B	J	M	D	R	R	Z	V	O
U	A	M	E	L	Q	K	K	D	S
X	A	F	A	L	B	E	I	K	T
M	F	W	N	F	A	Y	A	H	X
L	V	T	Y	D	X	Y	G	H	X
F	F	E	M	F	S	M	S	J	A
Z	I	J	Y	A	C	I	N	O	U

Word List

Turkey   Yaks
Walrus   Mammals

Word Search 27

T	A	B	G	U	V	S	F	R	I
T	N	N	N	M	I	K	O	N	J
N	C	A	T	T	L	E	Q	W	X
J	M	X	F	E	A	S	G	B	M
U	Y	O	C	D	L	C	Q	L	N
H	K	O	D	P	D	O	R	Y	L
U	B	B	L	D	K	M	P	P	U
S	S	E	T	O	Y	O	C	E	E
S	K	R	A	V	D	R	A	A	S
E	V	N	T	K	D	S	Q	I	M

Word List

Aardvarks   Cattle
Antelopes   Coyotes

Word Search 28

X	P	G	L	X	A	H	W	P	G
K	A	O	Q	E	Y	Z	R	S	O
A	N	Z	G	Y	M	M	M	G	R
A	T	U	W	I	M	U	M	F	I
C	H	V	T	C	S	Z	R	R	L
R	E	E	K	S	F	S	S	S	L
W	R	M	O	B	V	M	D	V	A
G	S	P	M	I	O	K	V	Q	S
S	O	H	A	W	G	I	O	P	R
Q	I	Z	P	F	X	H	E	T	C

Word List

Gorillas
Lemurs

Opossums
Panthers

Word Search 29

Y	V	A	V	W	G	B	J	D	W
T	Z	K	O	B	O	J	C	F	P
G	W	N	V	U	Y	U	W	U	W
V	R	F	I	O	N	Z	F	M	E
D	C	I	B	F	X	F	P	L	A
M	W	Q	X	W	I	N	X	F	S
Z	X	X	E	N	R	Z	D	W	E
C	O	O	S	Q	Q	B	G	T	L
S	E	S	I	O	T	R	O	T	S
H	C	U	V	I	N	S	D	E	E

Word List

Puffins

Weasels

Tortoises

Word Search 30

M	P	L	A	F	X	H	E	H	D
S	F	Y	M	E	X	W	B	U	M
E	M	H	P	W	C	S	V	F	P
N	K	M	H	F	Z	A	R	L	P
U	J	C	I	O	S	L	A	H	Q
T	M	Q	B	R	J	Q	F	F	E
I	H	E	I	B	B	X	V	I	P
X	A	E	A	F	Q	L	Q	E	Q
I	F	A	N	F	T	T	N	Y	F
A	Z	H	S	J	O	S	U	Y	D

Word List

Amphibians

Answers

Word Search 1

T	Z	V	A	P	O	F	R	V	I
S	U	L	A	S	M	V	L	Q	E
E	B	K	D	Z	E	C	O	B	N
L	C	R	B	I	G	R	E	S	T
B	I	O	V	F	T	A	X	V	Z
B	E	J	Y	L	V	Q	F	P	O
U	J	A	I	E	L	V	R	I	T
Z	K	U	R	M	H	Q	E	Z	J
S	M	S	I	S	N	F	K	W	L
V	P	Z	S	W	G	H	M	K	M

Word Search 2

C	R	T	Q	I	K	B	J	S	G
H	E	Z	A	U	W	G	N	R	A
A	X	L	G	M	X	I	Z	J	J
M	U	N	E	P	H	P	B	G	P
E	I	J	L	P	K	T	F	B	M
E	Z	Z	L	E	H	E	O	E	Q
E	J	O	X	U	U	A	I	F	L
O	D	X	G	N	B	Y	N	J	Z
N	P	Q	D	S	I	P	C	T	P
S	O	C	B	C	S	M	W	E	S

Word Search 3

W	C	F	F	A	F	H	O	R	C
L	R	D	C	D	X	U	P	S	H
S	O	I	F	Z	H	M	H	S	E
M	C	X	J	D	T	F	R	C	E
S	O	U	M	U	O	A	F	C	T
K	D	B	F	O	G	L	Z	H	A
Y	I	R	S	U	U	V	Y	M	H
J	L	H	O	A	V	D	J	D	S
R	E	C	D	K	T	K	Q	R	K
F	S	L	J	M	C	O	J	K	O

Word Search 4

Y	J	C	Q	Q	C	I	X	Y	Z
N	V	A	K	S	F	Y	K	O	S
O	G	D	L	G	O	Z	P	R	R
O	W	T	Z	G	X	C	U	S	X
Y	K	W	D	N	E	A	Z	E	N
C	K	W	Z	U	S	M	H	L	U
D	N	C	V	O	J	K	L	G	P
P	P	R	N	X	W	Y	G	A	G
D	K	I	J	L	O	H	H	E	P
Q	D	F	L	M	K	T	B	B	Z

Word Search 5

P	S	F	F	R	N	C	Q	R	H
Z	D	N	T	B	W	J	E	Z	E
G	U	Z	E	T	Q	S	B	G	D
A	B	J	F	G	K	G	M	I	G
A	V	M	L	S	G	O	W	R	E
Q	C	G	M	M	C	R	C	A	H
C	I	D	S	S	Z	F	P	F	O
A	I	K	L	L	J	L	W	F	G
M	C	S	B	H	M	A	B	E	S
U	P	F	T	W	T	D	I	S	G

Word Search 6

K	F	K	S	K	F	W	Z	R	S
Z	A	V	K	P	S	O	O	E	A
J	K	N	Y	Q	M	L	S	H	Z
U	O	U	G	W	P	R	O	V	X
U	A	N	R	A	O	J	S	W	I
I	L	C	S	H	R	I	D	Y	B
T	A	Q	L	N	F	O	N	W	K
L	S	N	R	D	O	H	O	T	W
S	D	Y	Z	W	L	I	G	S	D
D	D	R	P	T	A	Z	L	O	C

Word Search 7

S	H	P	L	U	S	D	L	S	A
L	Q	N	N	S	P	P	P	K	U
W	P	J	X	N	L	K	J	C	S
O	A	H	X	I	L	V	X	O	L
W	N	E	Y	U	W	R	Y	C	D
U	D	G	G	G	C	N	N	A	G
J	A	L	S	N	L	D	T	E	E
P	S	O	E	E	S	W	H	P	Z
U	Z	U	X	P	V	C	L	L	Q
E	L	F	Z	L	Q	F	P	K	P

Word Search 8

R	H	I	N	O	C	E	R	O	S
Y	T	I	A	W	W	Z	U	Z	E
W	Y	S	S	E	V	S	V	D	A
F	M	S	R	S	Q	C	Q	N	T
W	B	N	R	E	G	L	D	Z	U
R	W	A	Y	K	D	H	V	S	R
S	O	K	B	J	Q	I	G	U	T
L	E	E	C	C	B	H	P	P	L
V	Y	S	B	R	E	F	V	S	E
X	A	G	C	A	H	M	N	J	S

Word Search 9

B	Y	A	V	N	A	D	N	Z	M
U	F	L	T	K	W	Z	Y	F	S
F	X	P	W	I	A	T	M	D	A
T	K	A	J	S	G	Y	Z	F	R
J	J	C	K	G	Z	E	V	R	B
U	I	A	Q	X	C	Y	R	K	E
O	J	S	A	N	T	K	G	S	Z
I	S	S	J	R	T	N	P	M	A
D	Z	E	R	J	S	B	X	H	P
A	L	L	I	G	A	T	O	R	S

Word Search 10

U	L	H	H	A	X	E	V	T	L
P	A	P	B	S	Z	P	H	B	S
G	S	Y	V	Y	G	Q	W	U	E
T	C	O	D	Q	D	O	E	I	P
Q	B	T	V	S	E	E	Y	S	W
M	C	F	H	P	M	A	V	L	E
E	W	M	M	A	A	S	U	E	H
F	D	O	O	Z	B	Z	O	M	Z
O	T	W	H	S	N	U	B	A	D
L	A	E	A	H	Y	K	A	C	A

Word Search 11

E	Q	I	Z	M	V	O	D	Q	C
K	O	Y	Q	G	U	H	Z	H	R
E	I	G	S	D	S	A	K	U	F
U	G	E	N	I	N	I	Z	B	I
Z	E	K	F	I	L	J	V	A	U
B	Q	F	P	H	M	T	G	T	E
L	W	J	F	I	G	A	A	S	V
L	Z	O	R	F	S	Z	L	F	A
M	K	P	P	F	B	O	M	F	Y
Z	F	K	X	A	S	O	J	O	Q

Word Search 12

A	D	G	A	Z	E	L	L	E	I
T	S	T	W	Q	P	E	H	Q	G
C	T	T	E	W	Q	C	T	P	U
O	R	Y	C	U	N	T	I	X	A
U	A	T	Z	E	U	L	L	X	N
H	N	Q	Z	E	S	M	U	C	A
P	U	M	P	R	P	N	B	F	S
P	K	H	Y	E	N	A	I	G	B
B	Y	Y	T	Q	D	M	Q	G	F
M	X	U	B	Q	W	P	Y	U	C

Word Search 13

H	S	I	F	Y	L	L	E	J	A
M	S	F	M	T	R	I	H	I	L
P	S	D	S	W	Z	B	E	J	N
Z	R	Z	R	W	U	B	G	Y	F
R	A	Q	V	A	X	G	D	D	M
O	U	Z	C	K	P	A	Y	D	Q
M	G	W	M	A	A	O	A	L	U
P	A	Y	J	P	W	G	E	S	Y
U	J	H	I	S	I	J	Z	L	B
O	Q	H	A	I	H	L	R	Z	C

Word Search 14

R	F	Y	Q	F	Z	K	G	Z	M
K	A	Z	O	M	Y	J	M	P	O
R	N	Z	F	I	S	E	P	E	O
D	V	R	K	P	E	J	K	S	S
D	P	D	Y	R	J	T	D	C	E
E	J	W	K	G	X	R	B	L	L
V	I	A	T	Q	A	A	Y	J	P
D	T	N	Z	Z	W	N	D	K	F
S	J	A	I	F	X	H	D	K	Y
P	F	L	G	R	O	I	A	G	J

Word Search 15

Y	F	O	L	K	X	O	K	O	S
H	M	Z	G	G	X	S	C	F	T
Q	S	A	V	T	M	T	Z	C	V
X	V	S	N	O	O	R	P	Y	Q
F	X	X	M	P	S	I	A	L	I
E	K	M	U	H	K	C	R	V	J
Z	M	S	F	E	B	H	R	X	D
O	E	Z	V	C	J	E	O	V	K
S	R	Y	I	F	X	S	T	Z	S
O	F	A	K	H	R	V	S	C	L

Word Search 16

O	M	N	G	J	F	W	S	D	K
G	Y	I	V	U	T	S	R	F	R
P	C	H	J	T	G	M	A	P	J
P	O	Z	M	E	U	R	E	J	V
Z	O	N	X	O	K	L	B	F	V
X	V	N	I	B	I	T	R	Q	G
H	X	P	I	C	F	R	A	E	I
R	L	S	A	E	T	Q	L	S	S
J	Y	N	N	S	S	E	O	E	W
L	S	K	D	X	B	V	P	L	P

Word Search 17

S	C	O	R	P	I	O	N	S	T
I	J	S	Q	X	V	P	E	T	L
X	X	L	R	W	K	S	K	R	K
L	H	O	V	E	R	Z	B	O	L
Y	O	Q	X	O	T	S	Y	Q	V
E	M	H	H	J	U	S	Z	M	T
J	Q	A	T	U	B	C	O	I	C
G	E	A	H	Q	D	N	J	O	E
S	O	C	A	Y	H	V	S	T	R
K	Y	G	O	I	D	X	Z	L	P

Word Search 18

J	J	S	G	U	T	T	H	F	W
S	P	E	O	N	R	D	T	S	H
S	M	L	Z	Q	P	I	P	A	S
D	Z	T	U	Y	P	I	D	X	I
W	D	R	A	R	X	W	T	A	F
Z	V	U	I	N	D	Z	N	P	R
M	X	T	C	A	V	Y	U	R	A
X	W	Q	S	W	A	N	S	I	T
V	Z	B	H	P	S	G	X	L	S
X	X	X	C	W	U	K	G	C	K

Word Search 19

P	Z	Y	X	A	X	D	H	X	V
F	H	A	N	T	E	A	T	E	R
M	D	Z	T	L	U	C	B	C	S
A	R	M	A	D	I	L	L	O	E
A	D	D	E	H	D	D	Y	S	L
B	V	K	E	T	U	Q	D	E	A
U	Y	U	Q	X	H	R	D	V	H
N	G	Q	X	H	I	H	G	L	W
Q	G	W	V	I	Q	M	T	O	K
Q	D	Z	C	I	G	Z	D	W	M

Word Search 20

P	V	I	C	C	W	E	R	T	S
J	C	H	I	P	M	U	N	K	S
S	J	O	L	A	F	F	U	B	Z
S	N	B	E	H	A	O	J	S	N
U	E	E	P	H	J	H	V	A	R
W	E	F	K	A	S	E	B	E	B
K	N	Y	J	C	C	O	W	S	G
P	P	D	O	C	I	S	E	O	A
E	X	H	A	Y	W	H	L	S	G
N	W	J	R	P	H	P	C	Q	V

Word Search 21

```
O  U  I  A  U  Y  D  R  V  A
B  Q  P  M  C  B  V  I  V  A
X  L  E  A  N  D  I  H  C  E
O  I  K  D  V  K  K  P  Z  D
V  S  R  T  V  X  V  N  R  S
D  O  N  K  E  Y  S  K  F  J
T  D  M  E  U  G  F  J  V  Q
L  C  E  A  K  J  W  S  A  F
Z  M  H  E  J  M  Q  W  M  F
G  I  P  J  R  M  K  I  Q  M
```

Word Search 22

X E B Q S X O D P **S**

H **G O A T S** U R **G** X

S B L N A W X **I** S U

R F M V I T **P** G D O

L H J C W **A** Q C I I

L O **S T E R R E F** C

A D A **N** S Y V H C J

M B **I** K P C V Q K H

A U K Z N X S H E W

G S F B L Q J C E Y

Word Search 23

I	P	L	A	T	Y	P	U	S	P
S	Q	F	H	S	K	Z	A	S	T
H	M	R	Y	A	L	H	V	N	V
S	J	U	A	C	V	D	W	O	W
S	E	N	I	P	U	C	R	O	P
S	V	N	B	S	K	G	Y	C	D
U	M	N	P	L	H	L	I	C	G
W	D	L	C	Q	X	J	R	A	N
C	G	N	M	N	D	W	N	R	I
E	N	U	P	H	Q	R	Y	I	S

Word Search 24

Y	W	A	X	M	L	T	Z	I	R
E	N	R	L	T	T	Z	T	N	X
X	D	B	E	E	P	T	D	H	O
Y	S	R	S	E	U	N	P	P	D
D	L	K	E	H	D	A	K	G	V
N	H	H	U	H	A	N	F	D	C
M	S	I	D	N	K	R	I	C	V
X	L	Y	C	X	K	P	K	E	B
N	Q	U	W	N	D	S	Q	S	R
Y	M	C	T	G	M	G	D	E	R

Word Search 25

C	L	V	M	B	B	O	I	P	F
K	V	M	C	N	A	L	O	P	S
M	S	S	L	V	V	F	U	Q	S
R	M	K	J	F	Y	B	U	H	T
Y	M	R	B	I	X	I	T	L	I
V	V	O	A	X	R	O	X	X	I
V	S	T	O	R	L	Z	L	W	N
M	N	S	E	S	K	W	V	Z	F
R	A	L	O	B	J	N	Q	K	E
M	S	K	K	N	J	H	R	E	G

Word Search 26

U	W	I	K	C	O	S	E	S	J
I	V	W	J	Z	L	T	S	F	M
Z	M	N	A	A	G	U	O	P	M
T	B	J	M	D	R	R	Z	V	O
U	A	M	E	L	Q	K	K	D	S
X	A	F	A	L	B	E	I	K	T
M	F	W	N	F	A	Y	A	H	X
L	V	T	Y	D	X	Y	G	H	X
F	F	E	M	F	S	M	S	J	A
Z	I	J	Y	A	C	I	N	O	U

Word Search 27

T	A	B	G	U	V	S	F	R	I
T	N	N	N	M	I	K	O	N	J
N	C	A	T	T	L	E	Q	W	X
J	M	X	F	E	A	S	G	B	M
U	Y	O	C	D	L	C	Q	L	N
H	K	O	D	P	D	O	R	Y	L
U	B	B	L	D	K	M	P	P	U
S	S	E	T	O	Y	O	C	E	E
S	S	K	R	A	V	D	R	A	A	S
E	V	N	T	K	D	S	Q	I	M

Word Search 28

```
X  P  G  L  X  A  H  W  P  G
K  A  O  Q  E  Y  Z  R  S  O
A  N  Z  G  Y  M  M  M  G  R
A  T  U  W  I  M  U  M  F  I
C  H  V  T  C  S  Z  R  R  L
R  E  E  K  S  F  S  S  S  L
W  R  M  O  B  V  M  D  V  A
G  S  P  M  I  O  K  V  Q  S
S  O  H  A  W  G  I  O  P  R
Q  I  Z  P  F  X  H  E  T  C
```

Word Search 29

Y	V	A	V	W	G	B	J	D	W
T	Z	K	O	B	O	J	C	F	P
G	W	N	V	U	Y	U	W	U	W
V	R	F	I	O	N	Z	F	M	E
D	C	I	B	F	X	F	P	L	A
M	W	Q	X	W	I	N	X	F	S
Z	X	X	E	N	R	Z	D	W	E
C	O	O	S	Q	Q	B	G	T	L
S	E	S	I	O	T	R	O	T	S
H	C	U	V	I	N	S	D	E	E

Word Search 30

M	P	L	A	F	X	H	E	H	D
S	F	Y	M	E	X	W	B	U	M
E	M	H	P	W	C	S	V	F	P
N	K	M	H	F	Z	A	R	L	P
U	J	C	I	O	S	L	A	H	Q
T	M	Q	B	R	J	Q	F	F	E
I	H	E	I	B	B	X	V	I	P
X	A	E	A	F	Q	L	Q	E	Q
I	F	A	N	F	T	T	N	Y	F
A	Z	H	S	J	O	S	U	Y	D